l

dans les

TéaSisters

## Téa

**Salut, c'est Téa, la sœur de Geronimo Stilton ! Je suis envoyée spéciale de *l'Écho du rongeur*, le journal le plus célèbre de l'île des Souris. J'adore les voyages et j'aime rencontrer des gens du monde entier, comme les Téa Sisters. Ce sont cinq amies vraiment épatantes. Je te les présente !**

## Paulina

**Altruiste et solaire, elle aime voyager et fréquenter des gens de tous les pays. Elle a un réel talent pour la technologie et les ordinateurs !**

## Paméla

**Mécanicienne accomplie : avec un tournevis, elle répare n'importe quoi ! Elle aime cuisiner, mais pourrait manger de la pizza midi et soir.**

## Colette

Elle a une vraie passion pour les vêtements et les accessoires, surtout roses ! Plus tard, elle aimerait devenir journaliste de mode.

## Nicky

Originaire d'Australie, elle est passionnée par le sport, l'écologie et la nature. Elle aime vivre au grand air et ne tient pas en place !

## Violet

Elle adore lire et apprendre sans cesse de nouvelles choses. Amatrice de musique classique, elle rêve de devenir un jour une grande violoniste !

**Veux-tu devenir une Téa Sister ?**

..............................

J'aime ....................
..............................
..............................
..............................
..............................
....................

*Texte de* Téa Stilton.
*Coordination des textes de* Chiara Richelmi *(Atlantyca S.p.A.).*
*Collaboration éditoriale de* Carolina Capria *et* Mariella Martucci.
*Coordination éditoriale de* Patrizia Puricelli.
*Édition de* Daniela Finistauri.
*Direction artistique de* Iacopo Bruno.
*Couverture de* Caterina Giorgetti *(dessins) et* Flavio Ferron *(couleurs).*
*Conception graphique de* Paola Berardelli / theWorldofDOT.
*Illustrations des pages de début et de fin de* Barbara Pellizzari *(dessins) et* Flavio Ferron *(couleurs).*
*Cartes de* Caterina Giorgetti *(dessins) et* Flavio Ferron *(couleurs).*
*Illustrations intérieures de* Valeria Brambilla *(dessins) et* Francesco Castelli *(couleurs).*
*Coordination artistique de* Flavio Ferron.
*Assistance artistique de* Tommaso Valsecchi.
*Graphisme de* Chiara Cebraro.
*Basé sur une idée originale d'*Elisabetta Dami.
*Traduction de* Béatrice Didiot.



**www.geronimostilton.com**


Blog : albinmicheljeunesse.blogspot.com
Loi 49-956 du 16 juillet 1949 sur les publications destinées à la jeunesse
Dépôt légal : second semestre 2016
Numéro d'édition : 22038
ISBN-13 : 978 2 226 32138 1
Imprimé en France par Pollina s.a. en août 2016 - L77528A

Téa Stilton

# Reines de la GLISSE

ALBIN MICHEL JEUNESSE

# NOUVELLES EN DIRECT... DES PISTES !

Comme chaque mois, la rédaction du journal du collège était **RÉUNIE** pour décider du sujet du prochain numéro. Mais ce **MATIN**-là l'ambiance n'était pas joyeuse ou électrique comme d'habitude ; au contraire, tous ne cessaient de **SOUPIRER** !

Les étudiants séchaient, incapables de trouver une bonne idée.

– Ça y est ! s'écria soudain Paulina en posant le **STYLO** avec lequel elle jouait. Nous pourrions réaliser un **dossier** sur l'histoire du collège de Raxford !

– *Jolie trouvaille* ! s'exclama Colette.

– Oui, dommage qu'on l'ait déjà fait il y a trois mois…

– Ah, voilà pourquoi l'idée me semblait bonne ! Désolée, j'avais OUBLIÉ…

Le silence retomba. Cela faisait presque DEUX heures que tous se creusaient les méninges sans résultat.

– Moi, j'arrête là ! annonça Vanilla en se **levant** et en se dirigeant vers la porte. J'ai perdu assez de temps avec vous ! En plus, vous n'êtes pas fichus de reconnaître une **SUG-GESTION** géniale quand on vous en fait une...
– Vanilla, la **SEULE** chose que tu aies proposée, c'est un reportage sur la *ravissante* et très

élégante héritière de la famille de Vissen... c'est-à-dire toi ! rétorqua Violet.

– En fait, Vanilla a raison, intervint Paméla.

– Comment ?! Tu penses que le prochain NUMÉRO devrait porter sur elle ? demanda Tanja, stupéfaite.

– Non, non ! la rassura sa camarade en souriant. Je voulais simplement dire qu'on devrait s'accorder une PAUSE : aller dans le jardin pour se dégourdir les jambes et respirer un peu d'air frais !

– D'accord ! approuva Colette. Peut-être que la solution VIENDRA quand on arrêtera de la chercher !

Et elle avait vu juste !

Quelques minutes plus tard, tandis que le groupe profitait des rayons tièdes du soleil hivernal, Nicky arriva, de retour de son footing.

– Les amis, vous ne DEVINEREZ jamais la fantasouristique nouvelle que je vous apporte ! CLAIRONNA-t-elle. L'île des Baleines va accueillir le Championnat de ski junior !

– Le Championnat, chez nous ??? répéta Pam, stupéfaite. Comment l'as-tu appris ?

– Grâce au lacet de ma chaussure ! répondit MALICIEUSEMENT Nicky.

– Qu'est-ce que ton LACET vient faire là-dedans ? demanda Craig, perplexe.

La jeune fille éclata de rire.

– S'il ne s'était pas cassé,

j'aurais **continué** à courir, je ne serais pas entrée au *Zanzibazar* pour en acheter un AUTRE... et je n'aurais pas parlé à Tamara, la propriétaire du magasin.

– Mmmh... je ne comprends toujours pas, grommela Craig.

– Tamara sait toujours **TOUT** de ce qui se passe dans l'île : c'est elle qui m'a parlé de cet **événement** !

– Bref... tu es en train de nous dire que la compétition sportive la plus importante des prochaines semaines se déroulera ici, résuma Colette

– Exactement ! s'exclama son amie, RADIEUSE.

– Sacrée nouvelle ! s'émerveilla Paulina. Et savez-vous ce que cela **SIGNIFIE** ?

Le Championnat de ski aura lieu ici !
Waouh !

Les Téa Sisters et leurs camarades échangèrent des regards interrogatifs.

– Quoi, Paulina ? demanda Tanja.

– Que nous avons trouvé… le **sujet** de notre prochain numéro ! exulta-t-elle.

# Le sport ne se résume pas... au sport !

Aussitôt, les Téa Sisters et leurs amis décrétèrent que la pause au jardin était terminée et regagnèrent à toute VITESSE la salle de rédaction.

Ils devaient s'empresser de découvrir le programme de la compétition pour décider quels articles *écrire*.

Paulina chercha sur son ordinateur le site du Championnat de ski junior, puis lut :

– « Sur l'île des Baleines débarqueront tous les jeunes espoirs du ski mondial »…
– Waouh ! Nous allons rencontrer de vrais champions ! s'exclama Craig, emballé.
– Oui, et nous ne manquerons pas de MATIÈRE pour nos papiers ! ajouta Tanja.
Tandis que les journalistes en herbe continuaient de s'informer et confrontaient leurs idées, Paméla s'aperçut que Colette avait une expression perplexe. Elle semblait PLONGÉE dans ses pensées…
– Hé, Coco ! l'appela Pam. Que rumines-tu ? Quand tu prends cet air-là, je sais que tu RÉFLÉCHIS à quelque chose…
Colette sourit.
– En effet… répondit-elle, encore hésitante. Je me disais que le ski me plaît beaucoup, mais que lire vingt pages exclusivement consacrées au sport m'ennuierait sûrement…

– ET ALORS, QUELLE EST TON IDÉE ? demanda Paméla.

Colette se concentra.

– Ce n'est pas encore très clair…

La jeune fille **REGARDA** attentivement tout autour d'elle, quand soudain…

– *J'ai trouvé !* s'écria-t-elle en observant les baskets de Nicky. *Le sport ne se résume pas... au sport !*

– Ah non ? Qu'y a-t-il d'autre ? s'enquit Pam.

– La mode, bien sûr !

Colette s'expliqua :

– Au lieu de ne traiter que de l'activité sportive et des épreuves, notre prochain **NUMÉRO** pourrait aborder d'autres aspects de cet univers. Nous pourrions, par exemple, *publier* un article sur les tenues de ski dernier cri et sur les accessoires les plus en vogue à porter sur les **PISTES** !

– Mais oui ! dit Paméla, enthou-

siaste. Et on pourrait aussi faire un reportage sur ce que mangent les athlètes avant une compétition…

– Et expliquer ce qu'ils font pour PROTÉGER leur peau du soleil… ajouta Violet.

– Absolument ! approuva Colette en battant des mains. Qu'en dites-vous ?

– On dit que… ce numéro sera le plus réussi de l'histoire du journal de Raxford ! ALLEZ, LES AMIS, AU TRAVAIL !

# CHAQUE PROBLÈME A SA SOLUTION !

Peu après avoir décidé que le prochain numéro de leur journal porterait sur le Championnat de ski junior, le petit groupe d'étudiants se précipita dans le bureau du recteur, Octave Encyclopédique de Ratis. Ils souhaitaient lui parler pour lui demander l'autorisation de s'absenter quelques jours du collège.

– Nous pensons à un numéro spécial, dont le titre sera : « NOUVELLES ET CURIOSITÉS SUR LE SPORT », annonça Tanja.

– Nous aimerions nous installer dans un hôtel proche des PISTES pour être sûrs de ne rien rater, ajouta Nicky.

Nous aimerions suivre le
championnat de ski...
Hum...

– Cela nous permettrait d'**INTERVIEWER** tous les athlètes qui participeront aux épreuves ! acheva Craig.

– **BIEN, BIEN, BIEN...** commença le recteur avec un air songeur. Vous n'ignorez pas que vos cours sont très importants...

– Non, bien sûr, répondit Colette.

Jetant un bref coup d'œil à ses amis, elle proposa :

– Peut-être pourrions-nous les **SUIVRE** le matin, puis **FILER** là où se déroulent les épreuves l'après-midi...

– Toutefois... poursuivit le recteur sans tenir compte de l'interruption de Colette, si le **JOURNAL** de notre collège est aussi passionnant, c'est grâce au zèle et à la passion qui vous animent. Donc... **PERMISSION ACCORDÉE** !

– Hourra ! s'écrièrent tous les étudiants.

– Je parlerai à vos professeurs et nous organiserons des séances de rattrapage. En échange, tâchez de me concocter l'un des meilleurs numéros qu'on ait jamais lu !

– Il sera fantasouristique ! promit Paméla, au comble de la JOIE.

Forts de leur succès, les Téa Sisters et leurs amis regagnèrent aussitôt la salle de rédaction.

Il leur restait beaucoup de choses à FAIRE avant de partir. La première était de trouver un endroit où LOGER et installer leur bureau. Cela s'annonçait difficile…

– Très mauvaise nouvelle... annonça Paulina, les yeux rivés sur l'écran de son ordinateur. Tous les hôtels de l'île sont COMPLETS !

– Tous ??? répéta Paméla, horrifiée.

– Hélas, oui. Le Championnat de ski junior est un événement international. Beaucoup de sportifs ont fait le déplacement, mais aussi des journalistes venus des quatre coins du monde !

– Et maintenant, on fait comment ? demanda Nicky en soupirant.

Un grand SILENCE s'installa. Nul ne savait comment répondre à sa question.

– ATTENDEZ ! s'exclama Paméla. Pas question de se laisser abattre ! Quand j'étais petite et qu'une chose me TRACASSAIT, grand-père Obike me disait toujours : *« Chaque problème a sa solution... Il suffit de la trouver ! »*

– Pam a raison ! commenta Colette en souriant. Et son grand-père aussi ! Je suis sûre qu'en réfléchissant nous trouverons une idée !

– On pourrait peut-être demander à ma tante Nancy ! suggéra Elly.

**VOYANT** les mines stupéfaites de ses camarades, elle ajouta :

– Je vous expliquerai **APRÈS**, je file lui téléphoner !

Sur ces mots, elle sortit en FLÈCHE, et revint une demi-heure plus tard essoufflée mais un grand SOURIRE aux lèvres.

– Bonne nouvelle, les amis ! claironna-t-elle. Vous n'allez pas le croire ! C'est fabuleux !

– Elly, reprends ton souffle et explique-toi calmement ! suggéra Paulina.

La jeune fille respira profondément, puis s'écria :

– Nous avons un endroit où dormir ! Ma tante nous prête son CHALET !

# PLUS CAPRICIEUSE QUE VANILLA…

Le CHALET que la tante d'Elly avait mis à leur disposition se trouvait dans la **ZONE MONTAGNEUSE** de l'île des Baleines. Sa propriétaire ne l'occupait qu'à la belle saison pour faire de longues promenades dans l'épaisse FORÊT environnante. Le reste de la famille, en revanche, s'y installait pour les vacances de neige, car ce nid **douillet** était situé à deux pas des PISTES.

RAVIS de s'y rendre, les Téa Sisters et leurs amis s'étaient empressés de faire leurs bagages pour y LOGER le soir même.

Tous étaient impatients de **séjourner** dans la modeste mais charmante petite maison. Enfin tous, sauf une personne, qui s'en serait bien passée…

– **NON, MAIS CE N'EST PAS POSSIBLE !**

pesta Vanilla en faisant les cent pas dans sa chambre. Comment ont-ils pu penser que moi, Vanilla de Vissen, j'accepterais de dormir dans cette AFFREUSE bicoque ?!

– D'accord, ce n'est pas un hôtel cinq étoiles... répliqua Zoé d'une petite voix. Mais de là, on ne RATERA aucune épreuve...

– Si tu savais comme je m'en moque ! répondit RAGEUSEMENT Vanilla. Je fais semblant de m'y intéresser uniquement pour qu'on n'attribue pas tout le succès de ce NUMÉRO spécial aux Téa Sisters !

– Dans ce cas, tu ferais mieux de te résigner à la BICOQUE, parce qu'il n'y a pas d'autre solution ! lui rappela Connie.

– C'est vrai pour les Téa Sisters, mais quand on s'appelle Vanilla de Vissen, il y a TOUJOURS une autre solution ! susurra son amie.

Et sans hésiter la jeune fille attrapa son portable et composa le numéro de son majordome.
– Alan, réserve-moi une chambre pour quatre dans l'hôtel le plus sélect de la STATION !
Puis, lançant un coup d'œil à ses acolytes, elle ajouta :
– Préparez-vous, on va passer quelques jours de

détente haut de GAMME dans le plus ÉLÉ-GANT des palaces !

– Comment est-ce possible ? demanda Zoé. Tous les établissements de l'île sont COMPLETS !

– Relax, les filles ! Personne ne peut dire non à une de Vissen !

Tout promettait de se passer comme VANILLA l'avait PRÉVU, quand sur son chemin surgit un **OBSTACLE** imprévu…

Lorsqu'elle se présenta avec ses amies au *Pic d'or* pour s'installer dans leur suite grand luxe, on lui RÉPONDIT :

– Je regrette, mademoiselle de Vissen, mais notre hôtel est complet. Nous n'avons plus une seule chambre.

Vanilla écarquilla les YEUX.

– Vous devez vous tromper ! Mon majordome s'est occupé de tout !

– Euh… oui, bien sûr, commença la réceptionniste. Et nous vous avions attribué la suite que nous gardons pour les invités de marque. Mais, voyez-vous… un célèbre mannequin vient d'arriver et, hem, nous avons dû la lui céder…

Au même instant, une jeune fille très blonde, habillée en ROSE et en VIOLET et portant des lunettes de soleil, fit son ENTRÉE.

– *Marilou Raten !* s'exclama Alicia.

MARILOU RATEN !

Elle avait reconnu le modèle le plus célèbre du moment, également renommé pour ses caprices et ses manières arrogantes.

– Bienvenue,

mademoiselle Raten ! la salua la réceptionniste en lui tendant la clé de sa chambre. Quel PLAISIR de vous avoir parmi nous !

– Oui, oui, merci... abrégea Marilou Raten en s'éloignant, l'air HAUTAIN.

– Vanilla, dit Connie en se tournant vers son amie qui semblait sur le point d'EXPLOSER, je crois qu'il ne nous reste qu'à rejoindre les autres au chalet...

# UN CHALET CINQ ÉTOILES !

– *Ce chalet est magnifique !* s'exclama Colette en poussant les volets en bois de la porte-fenêtre.

Aussitôt, la lumière du SOIR envahit le séjour.

– Il est exactement comme je l'imaginais : accueillant et bien tenu ! ajouta Nicky.

– Je suis ravie qu'il vous plaise ! répliqua Elly en souriant **FIÈREMENT**.

La petite maison était aménagée avec un tel soin qu'on s'y sentait comme chez soi.

Une grande **CHEMINÉE** trônait au milieu de la pièce et les murs étaient couverts de photos d'Elly et de sa famille.

C'EST MAGNIFIQUE !

Nicky sortit sur le balcon pour admirer le **splendide** paysage enneigé.

– Hé, les amis, **VENEZ** voir le panorama !

– Ici, nous serons **MIEUX** que dans le plus luxueux des hôtels ! commenta Tanja.

À cet instant, quelqu'un frappa avec insistance à la porte d'entrée.

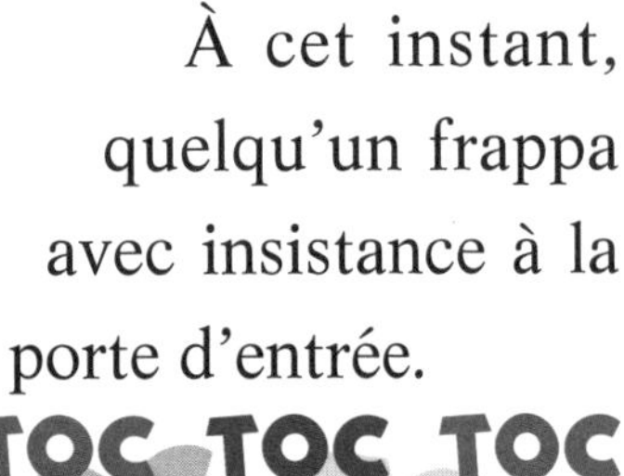


Les étudiants se dévisagèrent avec surprise : qui pouvait leur rendre visite alors qu'ils n'étaient là que depuis quelques minutes ?

– **QUI EST-CE ?** demanda Paulina.

– Nous ! glapit une voix connue de tous. **DÉPÊCHEZ**-vous de nous ouvrir, on gèle dehors !

Ce n'était autre que Vanilla de Vissen.

– Mais… que faites-vous ici ? s'étonna Paulina en voyant **ENTRER** les Vanilla Girls.

– Nous nous sommes dit qu'en descendant à

l'HÔTEL nous risquions de rater des épreuves importantes, s'empressa de répondre la jeune héritière. Nous avons donc DÉCIDÉ de vous rejoindre !

– Mmmh, j'ai un peu de mal à le croire… marmonna Paméla, qui préparait un FEU de cheminée avec Nicky.

– D'autant que *Marilou Raten* nous a soufflé la dernière chambre ! laissa échapper Alicia en traînant une énorme VALISE à l'intérieur de la pièce.

Vanilla lui jeta un regard NOIR.

– Personne ne nous a soufflé quoi que ce soit ! rectifia-t-elle. C'est moi qui ai voulu partir ! Cet établissement est loin d'être aussi luxueux et distingué qu'il le prétend !

Pam ne put s'empêcher de **SOURIRE**.

– Évidemment, évidemment… ironisa-t-elle en adressant un clin d'œil aux autres Téa Sisters. Quoi qu'il en soit, soyez les **bienvenues** !

# À LA CHASSE AUX NOUVELLES !

Après une soirée passée à bavarder au coin du FEU, le petit groupe se réveilla plein d'énergie, prêt à affronter sa nouvelle AVENTURE.

– Eh bien, je dirais qu'on peut y aller ! claironna Colette après avoir avalé sa dernière GORGÉE de lait chaud. Tout le monde a choisi le sujet de son article, oui ?

– Affirmatif, Coco ! s'exclama Pam en tendant la main pour attraper un ultime biscuit. En avant, les amis, la chasse aux NOUVELLES est ouverte !

Tandis que tous se préparaient pour SORTIR, Vanilla se dirigea vers sa chambre.

– Hé, mais… OÙ VAS-TU ? lui demanda Paulina.

– Vu qu'Alicia, Connie, Zoé et moi rédigerons l'article « La mode sur les sommets », je vais chercher ce qu'il me faut pour l'écrire…

– Un stylo ? Ton ordinateur portable ? hasarda Violet.

– Mais non, ma carte de crédit ! soupira Vanilla. Comment voulez-vous que je creuse la question sans faire de **SHOPPING** ?!

Et ainsi, pendant que les Vanilla Girls faisaient des emplettes dans les boutiques de la station sous le prétexte d'enquêter au plus près du réel, les autres étudiants partirent chercher de la matière pour leurs papiers.

Colette et Violet, dont le sujet était « Belles sur les cimes », prirent une série de **PHOTOS** illustrant la préparation d'un MASQUE à base de produits naturels à appliquer sur son visage au retour des pistes pour lutter contre les effets du FROID.

### MASQUE FACIAL SUPER NOURRISSANT

INGRÉDIENTS : 1 CUILLÈRE À SOUPE D'HUILE D'OLIVE, 1 CUILLÈRE À SOUPE DE MIEL, 1 CUILLÈRE À SOUPE DE YAOURT.

MÉLANGE L'HUILE ET LE MIEL DANS UN BOL, PUIS MÊLES-Y LE YAOURT.
ÉTALE LE MASQUE SUR TON VISAGE, SAUF AUTOUR DES YEUX. LAISSE REPOSER 10 MINUTES, PUIS RINCE À L'EAU CLAIRE.

Craig et Vik louèrent des snowboards dernier cri afin de commenter leurs performances dans un papier qu'ils destinaient aux passionnés de descente acrobatique.

Pam, Shen et Elly allèrent INTERVIEWER le cuisinier de l'hôtel où séjournaient les athlètes pour connaître tous les secrets de l'alimentation d'un champion !

Paulina, enfin, décida de tester l'une des ultimes innovations TECHNOLOGIQUES proposées aux amateurs de glisse. Équipée de lunettes **ULTRA-MODERNES** permettant de prendre des **PHOTOS** tout en skiant, elle s'élança sur la neige. En bas de la piste l'attendaient Nicky et Tanja, assises sur un muret. Les deux jeunes filles avaient l'air ABATTU...

– Hé, les filles ? Pourquoi ces mines d'enterrement ? Quelque chose ne va **PAS** ?

Ses deux interlocutrices échangèrent des regards **DÉCOURAGÉS**.

– Hélas, oui, soupira Tanja. Nous n'avons pas récolté la moindre déclaration...

En sortant du CHALET, Tanja et Nicky s'étaient

précipitées à l'entrée de la zone réservée aux athlètes pour réaliser quelques **INTERVIEWS**. Là, elles eurent une bien mauvaise surprise…

– Pour y **ACCÉDER**, il faut un pass ! raconta Nicky. Mais les journalistes des plus grands magazines les ont **tous** raflés !

– Autrement dit, nous sommes coincés... **RUMINA** Paulina. Et si on ne peut pas parler aux concurrents, ce numéro *spécial* n'aura vraiment rien de... **SPÉCIAL** !

À cet instant, un rongeur chaussé de skis se rangea avec élégance à côté du petit groupe.

– Alors, Paulina, qu'as-tu pensé de ce gadget ? demanda-t-il **gentiment**.

C'était le moniteur de ski qui, une heure plus tôt, avait montré à la jeune fille comment faire fonctionner les lunettes ultratechnologiques.

– Elles sont **ÉPATANTES** et...

Avant qu'elle ait eu le temps de finir sa phrase, Nicky s'exclama :

– **RATSON ? DAVE RATSON ?**

Voyant l'expression à la fois surprise et extasiée de son amie, Paulina se dit que Dave n'était peut-être pas un **SIMPLE** moniteur…

# DES PASS SPÉCIAUX !

– Vous êtes bien… Dave Ratson ? Le grand champion de ski ? demanda Nicky en écarquillant les yeux.

Très GÊNÉE, Paulina s'excusa :

– Je suis vraiment désolée ! Je ne vous ai pas reconnu.

Dave SOURIT.

– Ton amie exagère, répondit-il **MODESTEMENT**. J'ai arrêté la compétition il y a plusieurs années.

– Oui, mais après avoir décroché de nombreux titres ! insista Nicky. Dont celui de Monsieur Fair-Play* !

– *Monsieur Fair-Play* ? répéta Tanja.

Nicky hocha la tête. Passionnée de SPORT et lectrice assidue de la presse spécialisée, elle connaissait le moindre détail, la moindre anecdote de la biographie des meilleurs athlètes.

– C'est un titre que les autres skieurs ont INVENTÉ pour lui, parce qu'il était l'adversaire le plus franc et le plus loyal qu'ils avaient jamais rencontré ! expliqua la jeune fille.

En bavardant avec Dave Ratson, les trois filles découvrirent que s'il avait abandonné sa brillante carrière, il n'avait pas pour autant renoncé à sa passion.

– Quand je me suis retiré de la course, raconta-t-il, je suis devenu MONITEUR DE SKI. D'ailleurs, si je

** En anglais, «* to play fair *» signifie «jouer de manière correcte», c'est-à-dire en respectant les règles et les adversaires.*

suis ici, c'est pour suivre les performances d'athlètes en compétition. À propos de compétition, Paulina m'a dit que vous êtes des apprentis journalistes réalisant un reportage sur le Championnat de ski junior...

– Euh, oui... disons plutôt qu'on essaie... répliqua Nicky, dont la mine s'était BRUSQUEMENT assombrie.

Dave Ratson la dévisagea sans comprendre.

Elle lui raconta alors que Tanja et elle n'avaient pas pu approcher les CONCURRENTS.

– On nous a dit que seuls les détenteurs d'un pass pouvaient ACCÉDER aux pistes d'entraînement. Donc nous voilà coincées...

– Pas pour longtemps ! assura Dave en souriant. Comme je fais partie du comité d'organisation et que j'ai bien l'intention de lire vos articles, je vais vous faire imprimer des laissez-passer **SPÉCIAUX** ! Suivez-moi !

– C'est fantastique ! Merci ! s'exclamèrent Nicky et Tanja, radieuses.

En moins de temps qu'il n'en faut pour le dire, les trois amies rameutèrent leurs camarades et,

plus VITE encore, gagnèrent avec eux la zone réservée aux personnes accréditées.
Ainsi, grâce aux pass de Dave, ils découvrirent enfin les différents tracés.
– JE N'ARRIVE PAS À LE CROIRE ! exulta Pam en suivant des yeux les talentueux skieurs. Nous pouvons assister à toutes les ÉPREUVES mais aussi aux entraînements…
– C'est le minimum ! commenta Vanilla en s'approchant.
Fouillant dans l'un des SACS dont elle était chargée, elle ajouta :
– Ce sera l'occasion de faire admirer mes nouvelles acquisitions !
Sur ces mots, elle exhiba une élégante DOUDOUNE verte, tout juste achetée.
– Euh… aussi, oui… répondit Colette. Mais

QUEL TALENT !
WAOUH !
VAS-Y !

Pam voulait surtout dire que c'est une **EXCELLENTE** occasion d'observer de près l'entraînement de champions.

– Exact ! confirma Pam, **EUPHORIQUE**. D'ailleurs, je vois déjà le titre de cet article : « Derniers ajustements avant l'heure H » !

– À propos de champions, les sportives inscrites à l'épreuve de slalom féminin vont **TESTER** leur piste, annonça Vik.

Le tableau lumineux afficha le nom des rongeuses prêtes pour le départ.

– **REGARDEZ**, Helen Polz va s'élancer ! Et juste après Katrina Mausner !

Nicky dressa l'oreille.

– Les deux *favorites* pour la médaille d'or !

Courons nous poster à la ligne d'arrivée. Peut-être *pourrons*-nous les interviewer !

# LA JOURNÉE D'UNE SPORTIVE DE HAUT NIVEAU

– C'est vraiment incroyable ! observa Paméla, ce soir-là. Comment deux filles du même âge et qui ont la même **passion** peuvent-elles être aussi différentes ?

– Ne pense plus à Katrina ! l'encouragea Colette. Elle a juste été maladroite…

Vanilla, qui s'admirait dans le miroir de l'entrée, se mêla à la conversation :

– Maladroite ?! Tu veux dire **ODIEUSE** et **MALPOLIE**, oui !

Puis la jeune fille se tourna vers Shen, qui feuilletait le programme des entraînements pour les jours suivants.

– Shen ! Vas-tu, oui ou non, arrêter de faire tout ce bruit en TOURNANT les pages ? le houspilla-t-elle en lui décochant un regard noir. File plutôt nous préparer un thé ! Au moins, tu te rendras **UTILE** !

Les Téa Sisters échangèrent un regard amusé. Si même Vanilla trouvait **KATRINA**

insupportable, elle devait vraiment dépasser les bornes !

De fait, quand, ce matin-là, les apprenties journalistes s'étaient précipitées auprès de la jeune athlète pour lui demander une interview, sa réponse leur avait fait l'effet d'une douche froide.

– Quoi ?! Vous écrivez dans un journal scolaire ?! avait-elle ricané. Je n'ai pas de temps à perdre avec vous. D'autant que j'ai déjà parlé à d'autres journalistes, des VRAIS !

– Heureusement, Helen, elle, s'est montrée coopérative ! rappela Violet en souriant. Je suis sûre que, grâce à elle, nous aurons TOUT ce qu'il faut pour écrire nos articles !

– Tu as raison, acquiesça Pam. Quelle chance de l'avoir rencontrée !

À l'inverse de sa rivale, HELEN Polz avait été touchée d'apprendre que des étudiantes s'étaient donné du mal pour réussir à l'approcher. « BIEN SÛR que j'accepte de m'entretenir avec vous ! avait-elle répondu, spontanément SOCIABLE et disponible. Je vous attends demain à mon hôtel. »

Ce soir-là, les **Téa Sisters** s'étaient donc plongées dans sa BIOGRAPHIE.

– Regardez ! La photo de sa première **victoire** ! s'exclama Paulina en désignant l'écran de son ordinateur.

– Comme elle était jeune ! s'étonna Colette en contemplant l'image d'une enfant soulevant une grosse COUPE.

– Que peut-on ressentir quand on est un champion ? médita Pam.

– Aucune idée ! Mais pourquoi ne pas commencer notre entretien par cette question ? SUGGÉRA Nicky.

Proposition adoptée ! Le lendemain matin, lorsque les cinq amies rejoignirent Helen à la table du petit déjeuner, ce fut la première chose qu'elles lui demandèrent.

La jeune sportive réfléchit un instant, puis répondit :

– À vrai dire, j'essaie de ne pas considérer le succès comme une chose acquise. Et après chaque trophée, je redouble d'efforts !

– Un beau message pour les sportifs et pour les

autres ! murmura Nicky en notant ces phrases sur son bloc-notes. Et pourrais-tu nous décrire l'une de tes journées ?

Aussitôt, Helen se leva et attrapa son sac de sport.

– Euh… tu dois partir ? s'enquit Violet, **STUPÉFAITE**. On peut peut-être remettre à…

– **NON, NON, NON !** l'interrompit Helen, un sourire aux lèvres. Ce n'est que pour satisfaire votre curiosité. Si vous voulez connaître mon emploi du temps… **VENEZ** avec moi !

Durant les heures qui suivirent, les Téa Sisters découvrirent le programme quotidien

# LE QUOTIDIEN D'UNE CHAMPIONNE !
## La journée d'Helen

7H30 : SOLIDE PETIT DÉJEUNER POUR DÉBORDER D'ÉNERGIE !

9H00 : EN SALLE DE SPORT POUR ENTRETENIR SES MUSCLES !

12H00 : PAUSE-DÉJEUNER !

14H30 : SUR LES PISTES POUR AMÉLIORER SA TECHNIQUE !

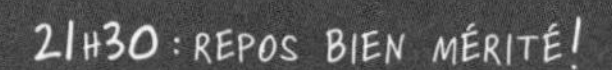

d'un sportif professionnel : il comportait des séances d'entraînement, mais aussi des cours théoriques et diverses obligations.

Le soir venu, les étudiantes raccompagnèrent Helen à son hôtel.

– Avant de te laisser te coucher, j'aimerais te demander une toute dernière chose ! annonça Paulina, tandis que toutes se saluaient. Chaque jour, tu t'entraînes en SALLE, sur les pistes, puis tu étudies de nouvelles tactiques… et pour te changer les IDÉES, tu fais quoi ?

– Eh bien… en fait… bredouilla la jeune sportive en baissant les YEUX.

À cet instant, une voix retentit au fond du couloir :

– Dis donc, jeune fille ! Que fais-tu encore debout à cette heure ?!

# CHAMPIONNE À PLEIN TEMPS

– Tiens, voilà mon PÈRE ! s'exclama Helen. Aujourd'hui, il est allé récupérer mes nouveaux skis. Venez, j'ai hâte de vous le PRÉSENTER !

La jeune athlète courut à la rencontre du rongeur grand et solide qui s'avançait dans le couloir, et lui donna un baiser sur la joue.

– Les filles, voici Ted Polz, mon père et… mon entraîneur ! Papa, je te présente Colette, Paméla, Paulina, Nicky et Violet !

Ted salua rapidement les Téa Sisters, puis s'adressa à sa fille :

– Helen, je t'ai posé une question ! Comment

BONSOIR, PAPA !

se fait-il que tu ne sois pas encore couchée ?

– EXCUSEZ-NOUS ! intervint Colette. Si votre fille est encore debout, c'est parce que nous…

– … les Téa Sisters *écrivent* pour le journal du collège de Raxford. Elles ont passé la **journée** avec moi pour m'interviewer ! expliqua la jeune championne, ravie.

– Une **INTERVIEW** ? répéta Ted en dévisageant les cinq amies. J'espère que vous ne l'avez pas distraite de son entraînement !

– **PAS DU TOUT !** répondit Helen en secouant la tête. J'ai même fait un meilleur temps qu'hier !

– Parfait ! répliqua son père. Et maintenant

au lit, pour faire un temps encore MEILLEUR demain !

Après avoir salué Helen et lui avoir souhaité une bonne nuit, les Téa Sisters repartirent vers le chalet.

– Dommage qu'Helen n'ait pas eu le temps de répondre à ta dernière QUESTION, Paulina, commenta Colette.

– Mmmh… marmonna pensivement cette dernière. Après avoir vu son père, j'ai l'IMPRESSION qu'elle n'a pas beaucoup de temps libre…

Et elle ne se trompait pas.

Dans les jours qui suivirent, le petit groupe ne parvint pas une seule fois à l'approcher.

Quel que soit le moment et l'endroit où elles la croisaient, près de son hôtel ou au bord des PISTES, la skieuse semblait toujours trop occupée pour leur dire un mot.

Un jour, alors que Colette la regardait rassembler ses affaires après son **ENTRAÎNEMENT**, elle demanda à ses amies :

– Aurait-on fait quelque chose qui lui a **DÉPLU** ? Elle ne nous parle plus !

– Je n'en sais rien… fit Nicky en haussant les épaules.

– **JE PEUX PEUT-ÊTRE VOUS EXPLIQUER...** dit une voix derrière les Téa Sisters.
– Dave ! s'exclama Paulina. Auriez-vous la CLÉ de ce mystère ?
– Je crois que oui…
– Dites-nous tout, le pria Pam.
– C'est à cause de son **PÈRE**... expliqua le moniteur.
Comme Dave, Ted avait été un remarquable skieur, et après avoir abandonné la COMPÉTITION il avait choisi de se consacrer à l'enseignement.
Mais à la différence de Dave, il ne s'occupait que d'une élève, très spéciale à ses yeux : sa fille, dont il voulait faire une grande skieuse.
– Et il a réussi : Helen est excellente ! raconta Dave. Mais Ted est **CONVAINCU** que l'entraînement d'un champion est une activité à plein temps. Et que pour **GAGNER** il faut

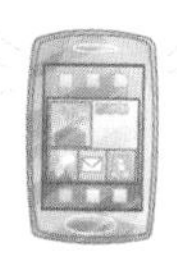

penser uniquement au sport, sans se laisser distraire par QUOI QUE CE SOIT ou QUICONQUE, comme... de nouvelles amies !

– Quel DOMMAGE ! soupira Colette. Elle est si sympathique !

LES PREMIERS PAS D'HELEN SUR DES SKIS !

Ce que Colette et ses amies ignoraient, c'était qu'HELEN aussi aurait bien aimé passer un peu de temps avec elles.

D'ailleurs, lorsque le lendemain après-midi, en rentrant à son HÔTEL, la jeune skieuse aperçut les étudiants de Raxford assis dans un café, elle n'hésita pas un instant : profitant de

l'ABSENCE de son père, elle entra les saluer !

– Helen, quel plaisir de te **VOIR** ! se réjouit Nicky. Tu bois un chocolat chaud avec nous ?

– Volont… commença la jeune fille, quand son **portable** se mit à sonner. Allô ? répondit-elle. Oui, Papa, oui. Je sais que nous devons

visionner les films des ESSAIS d'aujourd'hui… Non… oui, j'arrive… D'accord, je me dépêche.

– Tu dois partir ? demanda Violet pendant qu'Helen raccrochait.

La jeune fille hocha tristement la tête.

– Oui, mais on se reverra bientôt, je vous le promets !

# Un repos bien mérité !

Le lendemain matin, Ted alla réveiller sa fille comme il le faisait chaque MATIN.

– Alors, revoyons le programme d'aujourd'hui ! proposa-t-il en arpentant la chambre de long en large tandis qu'Helen se préparait. Après le petit déjeuner, tu iras en salle de sport, où tu as rendez-vous avec le masseur pour DÉTENDRE tes muscles. Puis…

Pendant que son père parlait, Helen suivait le fil de ses propres pensées.

Depuis toute petite, elle aimait le ski ; d'ailleurs, on pouvait presque dire qu'elle avait su skier avant de savoir marcher ! Elle avait consacré l'intégralité de son temps à son apprentissage et aux COMPÉTITIONS, renonçant à tout ce qui faisait la vie des filles de son âge. Faire ses devoirs chez une camarade de classe, se rendre à des fêtes, aller au CINÉMA avec des amis… toutes les choses que son père considérait comme des DISTRACTIONS inutiles.

Helen avait toujours pensé que ces sacrifices étaient nécessaires pour accéder à la VICTOIRE, mais à présent elle n'en était plus aussi sûre.

Depuis qu'elle avait rencontré les Téa Sisters, elle aurait aimé pouvoir les voir de temps à autre pour PARTAGER quelques moments

d'insouciance avec elles, comme n'importe quelle jeune fille.
De plus, loin de la DISTRAIRE, ces quelques bouffées d'air lui auraient donné un surcroît d'énergie pour affronter ses défis.
– Helen, tu m'écoutes ?
La jeune fille tressaillit.
– Oui, excuse-moi. J'avais… la tête ailleurs.
Son père soupira, puis vint s'asseoir sur le lit, à côté d'elle.
– Helen, tu sais combien ce championnat est important pour ta carrière. Tu dois rester concentrée !
– Je le sais, Papa, répondit-elle pour le rassurer.
Bien sûr qu'elle savait combien cette compétition était importante, mais l'amitié l'était tout autant, sentait-elle au fond de son cœur.

Prenant une profonde INSPIRATION, elle fit alors une chose qu'elle n'avait jamais faite :

– Écoute, Papa… Aujourd'hui, j'aimerais m'ENTRAÎNER dans une autre salle, dans la vallée. Il paraît qu'elle a de nouveaux équipements. J'aimerais les ESSAYER… si tu es d'accord.

Ted regarda sa fille, interloqué.

– DANS LA VALLÉE ? Mais aujourd'hui je ne peux pas me déplacer. Avec mes rendez-vous, impossible de t'accompagner.

– NE T'INQUIÈTE PAS ! Je me débrouillerai toute seule ! répondit Helen en SAUTANT sur ses pieds et en attrapant son sac. On se voit plus tard, sur les pistes !

Sans laisser à son père le temps de répliquer, elle se rua dehors, puis se dirigea non pas vers la nouvelle salle de sport, mais vers le chalet où séjournaient les étudiants de Raxford. Elle avait décidé de s'accorder quelques heures de DÉTENTE bien méritées !

– Helen, quelle bonne surprise ! s'exclama Pam en se retrouvant nez à nez avec la jeune skieuse,

qui venait de sonner à la porte. Que fais-tu **ICI** ? Ne devrais-tu pas être en train de t'échauffer à l'heure qu'il est ?

L'espace d'un instant, Helen songea à dire la vérité à ses **amies**, puis elle se ravisa : mieux valait ne pas les impliquer dans le mensonge qu'elle avait servi à son père.

– Si, mais ce matin je suis libre ! Je reprendrai l'entraînement plus tard !

– **LIBRE ?** Mais c'est merveilleux ! s'écria Nicky.

– Comme tu dis ! confirma Helen, tout heureuse. Si on faisait quelque chose **ensemble** ?

– Volontiers ! Pour nous aussi, une pause sera la bienvenue ! répondit Paulina en éteignant son ordinateur.

– De quoi as-tu envie ? s'enquit Pam.

– Ben… euh… comme vous l'avez compris, je ne suis pas experte en temps libre… plaisanta HELEN. Auriez-vous des idées ?

– On pourrait faire cuire des BISCUITS et regarder un FILM ! proposa Violet.

– Ou se faire un fabuleux *soin de beauté* ! suggéra Colette en battant des mains.

– Mmmh… le choix est difficile, commenta Helen. Pourquoi pas les TROIS ?

Affaire conclue !

– Je m'occupe des ingrédients pour la pâtisserie ! annonça Pam en DISPARAISSANT dans la cuisine.

– Moi, je cours louer un film ! déclara Paulina en enfilant son blouson.

– Et moi, je prépare des masques pour nos jolis minois ! claironna Colette.

– ***Attendez, les filles ! Et moi, je ne fais rien ?*** demanda Helen.

Nicky la fit asseoir sur le canapé.

– Ce matin, ton seul programme est de t'**amuser** !

Et c'est ce qu'elle fit. En compagnie de ses nouvelles **amies**, le temps passa à toute vitesse ! Au moment de les quitter, Helen se sentait HEUREUSE et REGONFLÉE comme cela ne lui était pas arrivé depuis longtemps. Désormais, elle pouvait donner le meilleur d'elle-même !

# Journal

## d'une matinée entre filles !

FARINE, BEURRE, ŒUFS ET... GAIETÉ !
LES INGRÉDIENTS D'UNE AMITIÉ
VRAIMENT SPÉCIALE !

PRENDRE DU BON TEMPS, C'EST REGARDER UN FILM ENTRE COPINES ET GRIGNOTER DES BISCUITS TOUT FRAIS...

... OU PAPOTER EN LAISSANT AGIR SON MASQUE HYDRATANT !

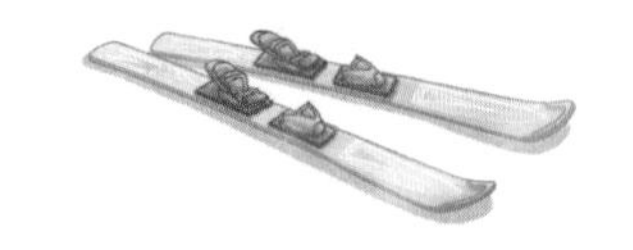

# Rien ne va plus !

Une fois que la jeune skieuse fut partie, les Téa Sisters et leurs **amis** convinrent de s'offrir un après-midi de LOISIR en plein air. Après plusieurs jours de pêche à l'information, eux aussi avaient besoin de se relaxer. Colette et Tanja décidèrent de se reposer au SOLEIL, tandis que Paulina, Shen et Pam choisissaient de dévaler les PISTES. Craig et Nicky, eux, se lancèrent dans l'exécution d'une série de **figures** en snowboard, qui laissèrent tous leurs spectateurs bouche bée !
Un peu plus tard, le groupe se **retrouva** en bas des pistes.

– Craig, Nicky, j'ai bien envie de vous inscrire au Championnat ! plaisanta Colette. **VOUS ÊTES ÉPOUSTOUFLANTS !**

Mais avant que les intéressés puissent répondre, une petite voix AIGUË se fit entendre :

– Hé, les filles !

C'était Helen, qui venait à leur rencontre.

– Je me suis **APERÇUE** que je ne vous avais pas remerciées !

– Pour quoi ? s'étonna Paulina.

– Pour cette matinée ensemble ! répondit la jeune athlète en SOURIANT. Vous avez vu à quoi ressemble ma vie : je suis sans cesse en DÉPLACEMENT à cause des compétitions, j'enchaîne entraînement sur entraînement... J'aimerais tant avoir...

– ... un peu de temps à toi, c'est ça ? acheva Pam, qui avait deviné le problème de la jeune fille.

– EXACTEMENT ! confirma celle-ci. En vous fréquentant, j'ai compris combien l'amitié véritable fait chaud au cœur ! Et je vous en suis reconnaissante !

– Il n'y a vraiment pas de quoi ! répliqua Colette. Et tu sais où nous trouver la prochaine fois que tu auras envie d'un soin, de regarder un FILM...

– ... ou de te barbouiller de farine ! la taquina Nicky.

Hélas, ce moment de bonne HUMEUR s'arrêta quand Ted arriva.

– Helen, tu es prête ? demanda le rongeur en s'APPROCHANT d'elle.

Puis, sans même attendre sa réponse, il lui ordonna :

– Allez, retourne t'entraîner !

– D'accord… mais je… commença HELEN, avant de s'éloigner sans finir sa phrase, la tête basse.

Regrettant la manière dont leur conversation s'était terminée, les Téa Sisters décidèrent d'assister à ses ESSAIS dans l'espoir d'échanger deux mots avec elle lorsqu'elle aurait fini.

Dès que la jeune fille s'élança, ses amies, placées tout au bord de la piste, l'encouragèrent. Soudain, Helen VIRA pour franchir une porte, perdit son ski droit et tomba.

Oooh!
Aaah!

– Helen ! s'écria Nicky en courant vers elle. Ça va ? Tu ne t'es pas fait mal ?

– Non, non, je n'ai rien, la rassura la skieuse en se redressant.

– Que s'est-il passé ? lui demanda Pam.

– JE VAIS VOUS LE DIRE, MOI, CE QUI S'EST PASSÉ ! gronda Ted.

ROUGE de colère, le père d'Helen les avait rejointes en quelques enjambées.

– Depuis qu'elle vous connaît, ma fille n'est plus la même ! Elle est toujours dans les nuages ! Résultat, elle n'est même plus assez concentrée pour arriver en bas de la PISTE !

Remarquant le regard triste et mortifié d'Helen, Colette essaya d'arranger la situation.

– Peut-être êtes-vous un peu sévère… Helen est formidable et elle s'entraîne d'ARRACHE-PIED ! Elle s'est juste accordé une matinée de liberté !

Ted eut une expression horrifiée : loin d'améliorer les choses, l'intervention de Colette les avait **aggravées** !

– Tiens, tiens ! Ce matin, tu ne testais donc pas une autre salle de sport ! Helen, tu me

DÉÇOIS beaucoup… lâcha-t-il avant de s'en aller.

– Papa, attends ! Laisse-moi t'expliquer ! cria Helen en COURANT derrière lui.

– J'ai fait une abominable GAFFE… murmura Colette.

– Ne t'en veux pas, Coco ! Comment aurais-tu pu deviner qu'Helen avait MENTI à son père… dit Pam pour la consoler. Mais rapportons-lui ses skis, sinon demain elle ne pourra participer au CHAMPIONNAT.

Sur ces mots, les Téa Sisters s'éloignèrent, le cœur serré.

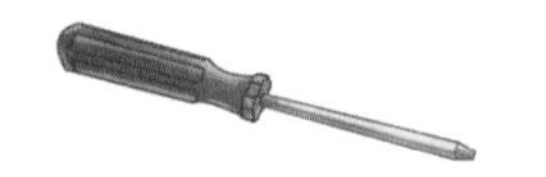

# UN INCIDENT SUSPECT...

– Personne n'a VU ni Helen ni son père, annonça Nicky en s'empressant de rejoindre ses **amies** hors de la zone réservée aux athlètes.

– Elle ne se trouve pas non PLUS dans les vestiaires, ajouta Violet. Pourtant, ses affaires y sont toujours. Après sa chute, elle n'est donc pas repassée là…

Les Téa Sisters ATTENDIRENT un moment dans l'espoir de voir arriver la skieuse et son père. Mais l'après-midi s'acheva sans que l'une ou l'autre reparaisse.

Les cinq amies décidèrent alors de RAPPORTER les skis de la jeune fille au chalet, dans l'idée de les lui rendre après le **DÎNER**.

Lorsqu'elles furent RENTRÉES, Paulina posa les deux LATTES contre le mur, ce qui lui donna l'OCCASION de les voir de plus près.

– Une minute ! Ces skis ont quelque chose de BIZARRE… murmura-t-elle.

– Ah bon ? s'ÉTONNA Colette. Moi, je les trouve parfaitement normaux.

Au même instant, Vanilla entra, de retour de son SHOPPING quotidien.

Intriguée, elle s'approcha.

– Peut-on savoir ce que vous faites ? s'enquit l'héritière de Vissen.

– Rien… répondit MACHINALEMENT Violet. On range les skis d'Helen.

– Pfff ! soupira Vanilla avec une moue distraite. Deux planches aux fixations BRANLANTES, vous appelez ça des skis ?! Pour ce qui est de l'équipement, je vois que vous en êtes encore à la préhistoire !

Le visage de Paulina s'éclaircit.

– Mais oui, c'est ça qui **CLOCHE** ! Merci, Vanilla, tu nous as bien aidées !

– Évidemment, j'ai le goût du DÉTAIL, moi ! marmonna dédaigneusement la jeune fille, avant de s'en ALLER.

– Bon, Paulina, veux-tu bien nous expliquer ce qui se passe ? demanda Pam, déroutée.

Son amie ne se fit pas prier.

– La **FIXATION** est la partie du ski qui bloque la chaussure pour empêcher le pied de bouger. Chacune doit être SOLIDEMENT vissée ! Regardez les skis d'Helen : sur celui de droite, elle TIENT à peine !

– C'est donc pour ça qu'elle est TOMBÉE, en conclut Nicky.

– Et non par distraction ! EXULTA Colette.

Mais aussitôt après elle demanda d'un ton grave :

– Attendez... Des VIS peuvent-elles se desserrer toutes seules ?

– Non, cela n'arrive jamais, répondit Nicky en secouant la tête. Surtout sur du matériel de compétition, qui est constamment contrôlé...

Et d'ajouter :

– De plus, pour DÉVISSER une vis ou un boulon... il faut un outil approprié !

– Êtes-vous en train de dire que quelqu'un a saboté les skis d'Helen ? demanda Violet.

– Je le crains, oui... soupira Nicky.

– Dans ce cas, il faut la prévenir immédiatement !

Les Téa Sisters se PRÉCIPITÈRENT à l'hôtel où séjournait leur amie, mais découvrirent qu'il ne serait pas facile de lui parler...

– La réceptionniste dit qu'HELEN ne veut être dérangée sous aucun prétexte, annonça Pam. Comment diable pouvons-nous lui faire savoir que sa chute n'était peut-être pas accidentelle ?

– Drôle d'histoire ! commenta Colette. Qui pourrait VOULOIR lui nuire ?

Dans le hall de l'hôtel résonna à ce moment un rire méprisant : Katrina venait d'entrer, l'oreille collée à son **portable**.

– Une INTERVIEW ? Très volontiers ! s'exclama-t-elle. C'est à vous que je parlerai

en premier quand j'aurai GAGNÉ la médaille d'or demain !

Suivant des yeux la rivale NUMÉRO UN d'Helen, Paulina répondit à Colette :

– Eh bien, Coco... pourquoi pas quelqu'un qui chercherait à mettre Helen hors jeu pour s'assurer la victoire...

Les Téa Sisters échangèrent un REGARD rapide : rien ne permettait d'accuser Katrina, mais elles décidèrent tout de même de la surveiller.

Pour cela, elles la SUIVIRENT jusqu'à sa chambre.

Embusquée à l'angle du COULOIR, Colette finit par annoncer :

– Je crois qu'elle va se coucher. Notre filature n'a rien donné...

– MADEMOISELLE KATRINA, ATTENDEZ ! appela-t-on soudain.

Dans le couloir venait de surgir le rongeur à tout faire de l'hôtel.

– Excusez-moi, mademoiselle, poursuivit-il, embarrassé. Pourriez-vous, s'il vous plaît, me rendre le TOURNEVIS que vous m'avez emprunté ce matin. J'ai une réparation à faire et…

– Impossible : il n'est pas ici. Je vous le rendrai DEMAIN ! l'expédia-t-elle sans ménagement, avant de s'enfermer dans sa chambre.

– Un tournevis ? MAIS POUR QUOI FAIRE ? s'interrogea Colette en fronçant les sourcils.

– Je ne sais pas… chuchota Nicky. En tout cas, c'est l'outil idéal pour dévisser une FIXATION !

– Nous n'avons pas réussi à avertir Helen et nous n'avons AUCUNE preuve de la culpabilité

Mademoiselle !
Hein ?

de Katrina... récapitula Paulina. Que fait-on maintenant ?

Les Téa Sisters réfléchirent en silence. Toutes les cinq **sentaient** qu'elles ne pouvaient en rester là...

Enfin, Paulina eut une idée.

– **J'AI TROUVÉ, LES FILLES !** Une seule personne peut nous aider ! déclara-t-elle en souriant. *Monsieur Fair-Play !*

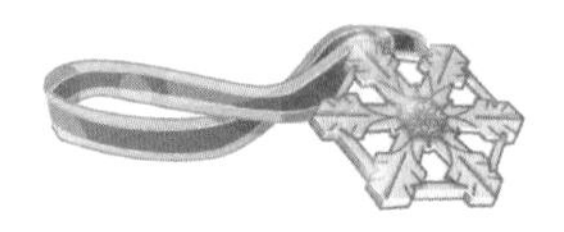

# La plus belle des récompenses

Pas de doute ! Si quelqu'un pouvait AIDER les Téa Sisters à faire toute la lumière sur la chute d'Helen, c'était Dave !

– Vous êtes bien sûres de ce que vous avancez ? insista le moniteur de ski après avoir écouté leur récit. Ce dont vous soupçonnez Katrina est très grave !

– Nous le savons, lui confirma Paulina. Mais tous les indices mènent à elle…

– Nous ne tenons à accuser personne, précisa Violet. Mais si quelqu'un sabote les skis d'Helen, notre amie est en danger !

– Juste ! répondit Dave. On ne peut pas laisser

l'ÉPREUVE avoir lieu s'il y a le moindre risque d'IRRÉGULARITÉ !

Puis il conclut en soupirant :

– Et maintenant, allez vous coucher ! On se retrouve demain matin devant les vestiaires. J'essaierai de parler à Katrina.

Les cinq amies acquiescèrent et, après avoir salué Dave, rentrèrent au chalet, soulagées d'avoir partagé leurs inquiétudes avec lui.

Le lendemain matin, TOUS les six étaient au rendez-vous.

Lorsque Katrina arriva, elle dévisagea les Téa Sisters, puis s'exclama d'un ton méprisant :

– Encore vous ?! Je croyais vous avoir dit que je n'accorderais aucun entretien à votre stupide journal !

– Nous ne sommes pas là pour ça, KATRINA !

intervint Dave en se plaçant devant la jeune fille. Entrons, il faut que je te parle…

Puis, se tournant vers les Téa Sisters, il ajouta :

– Je me charge de l'interroger. Attendez-moi là !

Tandis que Katrina, ÉTONNÉE du sérieux de Dave, lui emboîtait le pas, les cinq amies s'assirent à l'extérieur des vestiaires.

Peu après arriva HELEN, la mine abattue.

– Enfin, te revoilà! s'écria Colette en courant à sa RENCONTRE.

Nous t'avons cherchée toute la soirée d'hier pour te dire…

– Pardonnez-moi, les filles, l'interrompit Helen en baissant les YEUX. Je m'étais disputée avec mon père et j'avais besoin de rester seule.

– Avez-vous pu vous expliquer finalement ? tint à savoir Nicky.

La jeune skieuse secoua TRISTEMENT la tête.

– Après l'épreuve, il comprendra qu'il s'est trompé, tu verras ! dit Violet pour la consoler.

– Non, c'est lui qui a raison, regretta Helen, les larmes aux yeux. Je me suis laissée distraire par des choses futiles et mon entraînement en a souffert !

– Pas du tout ! Tu te trompes ! soutint Paulina, avant de lui raconter ce qu'elles pensaient avoir découvert.

– QUOI ?! KATRINA A SABOTÉ MES SKIS ?! s'indigna la sportive, incrédule.

Mais avant que quiconque puisse répliquer, Dave sortit des vestiaires, suivi de la rivale d'Helen.

– Mesdemoiselles, Katrina a quelque chose à vous dire, annonça-t-il en regardant la jeune fille, qui fixait ses pieds d'un air affligé.

Katrina semblait avoir perdu toute son arrogance. Relevant timidement les yeux, elle déclara :

– Helen, pardonne-moi. J'ai agi de manière impulsive. Quand j'ai DÉVISSÉ la fixation, je ne voulais pas te faire de mal… Je voulais juste…

Des larmes coulèrent le long de son visage.

– … être la première, pour une fois !

S'approchant de son adversaire, Helen posa une main sur son épaule.

– Tout le monde a droit à l'erreur... L'important est de comprendre que les plus belles victoires s'obtiennent en concourant à la LOYALE !

– En parlant de concourir, rappela Dave, c'est bientôt à toi d'entrer en piste, Helen !

– C'EST VRAI : LE SLALOM ! réalisa-t-elle.

– Vas-y, Helen ! l'encouragea Colette. Prends tes skis et décroche-nous la MÉDAILLE D'OR !

Et c'est ce qu'elle fit !

Bravo !
Hourra !
Ouiii !

À nouveau sûre d'elle, la jeune fille ne se contenta pas de remporter l'épreuve : elle réalisa un TEMPS RECORD !

Mais après avoir franchi la ligne d'arrivée, sa plus belle récompense fut de voir son père s'élancer à sa rencontre.

– PAPA ! s'exclama-t-elle. JE... JE NE VOULAIS PAS TE DÉCEVOIR...

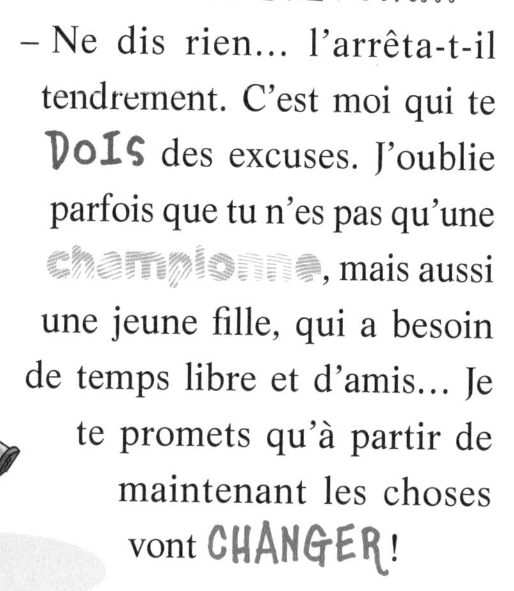


– Ne dis rien... l'arrêta-t-il tendrement. C'est moi qui te DOIS des excuses. J'oublie parfois que tu n'es pas qu'une championne, mais aussi une jeune fille, qui a besoin de temps libre et d'amis... Je te promets qu'à partir de maintenant les choses vont CHANGER !

# Une victoire particulière

Comme HELEN n'en était pas à sa première victoire, elle savait ce qui l'attendait : remise des médailles, interviews avec les journalistes, demandes d'autographe…
Mais ce jour-là, au Championnat de ski junior de l'île des Baleines, elle vécut une EXPÉRIENCE complètement inédite.
Tout un groupe d'amis l'entoura pour CÉLÉBRER son exploit !

– Pour Helen, HIP HIP HIP… lança Paméla.
– … HOURRA ! répondirent en chœur tous les autres.

– Bien, les enfants ! dit Ted. Et maintenant, nous vous quittons, car Helen doit se REPOSER…

– Papa ! l'interrompit sa fille. N'as-tu pas dit que les choses allaient changer ?

Ted sourit.

– Laisse-moi finir ma phrase ! Helen doit se reposer, disais-je… pour profiter de la FÊTE de ce soir !

Jamais la jeune athlète n'avait été aussi heureuse !

Mais plus tard, en arrivant à la soirée, elle ne trouva AUCUN de ses nouveaux amis.

Elle s'apprêtait à repartir, un tantinet déçue, quand Dave se présenta et lui dit :

– J'ai un MESSAGE pour toi,

de la part des Téa Sisters : va sur la terrasse et, au moment de la descente aux flambeaux, regarde les skieurs en première ligne.

– Tu parles du spectacle de clôture du Championnat ? Mais il est sur le point de commencer ! JE FILE !

Lorsqu'elle eut gagné son poste d'observation, la championne reconnut, en tête du long cortège lumineux, tous ses **amis** de fraîche date. Ils avaient un message spécial, rien que pour elle…

Merci, les amis !

HELEN
ON T'AIME

# Numéro spécial !

Une fois que les Téa Sisters et leurs amis eurent regagné le collège, les jours PASSÈRENT à la vitesse de l'éclair !

Les journalistes en herbe devaient finir d'écrire les articles ébauchés dans le CHALET, décider dans quel ordre les publier et choisir les ILLUSTRATIONS...

Finalement, après bien des efforts, les étudiants de Raxford purent admirer le numéro spécial de leur journal, entièrement consacré au Championnat de ski junior !

Alors même que la rédaction était réunie pour fêter sa sortie, Paulina vérifia la boîte aux lettres

SPÉCIAL
NOUVELLES et CURIOSITÉS sur le SPORT
INTERVIEW EXCLUSIVE
« Une championne
se raconte »
Belles sur les cimes
par Colette & Violet
L'appétit vient en skiant !
par Pam, Shen & Elly
Photoski
par Paulina
par Craig & Oik
De roi
l'enseignement !
par Tanja et Nicky
par Danilla

et, à sa grande surprise, y trouva une carte postale.

– De qui peut-elle bien être ? murmura-t-elle.

Dès qu'elle vit la signature, elle s'écria, RAVIE :

– Elle vient d'Helen !

Les quatre autres Téa Sisters se PRESSÈRENT auprès d'elle et lurent à haute voix :

Devinez où je suis ?
En vacances avec ma famille au bord de la mer, pour fêter ma médaille et me détendre !

Encore mille mercis !
Vous serez toujours dans mon cœur !
Helen

RÉDACTION DU JOURNAL DE RAXFORD
COLLÈGE DE RAXFORD
ÎLE DES BALEINES

– Ah, que dire... soupira Paulina. Profiter de sa **famille** et de ses **amis** est pour Helen... la plus belle des victoires !

Et Colette d'ajouter :

– Un exploit qui fait d'elle une véritable CHAMPIONNE de la vie !

# TABLE DES MATIÈRES

# DANS LA MÊME COLLECTION

- 1 Téa Sisters contre Vanilla Girls
- 2 Le Journal intime de Colette
- 3 Vent de panique à Raxford
- 4 Les Reines de la danse
- 5 Un projet top secret !
- 6 Cinq Amies pour un spectacle
- 7 Rock à Raxford !
- 8 L'Invitée mystérieuse
- 9 Une lettre d'amour bien mystérieuse
- 10 Une princesse sur la glace
- 11 Deux Stars au collège

N
1
2
3
4
5
6
7
8
9
10
11
12
13
14
15
16
17
18
19
20
21
22
L'ÎLE des
BALEINES

# L'ÎLE des BALEINES

1. Observatoire astronomique
2. Récifs des Mouettes
3. Plage des Ânons
4. Clinique vétérinaire
5. L'Auberge de Marian
6. Mont Ébouleux
7. Pic du Faucon
8. Plage des Tortues
9. Rivière Bernicle
10. Forêt des Faucons
11. Collège de Raxford
12. Grotte du Vent
13. Club de voile
14. Académie de la mode
15. Rochers du Cormoran
16. Forêt des Rossignols
17. Bibliothèque municipale
18. Port
19. Villa Marée : laboratoire de biologie marine
20. Installations photovoltaïques pour l'énergie solaire
21. Baie des Papillons
22. Rocher du Phare

RAXFORD
1
2
3
4
5
6

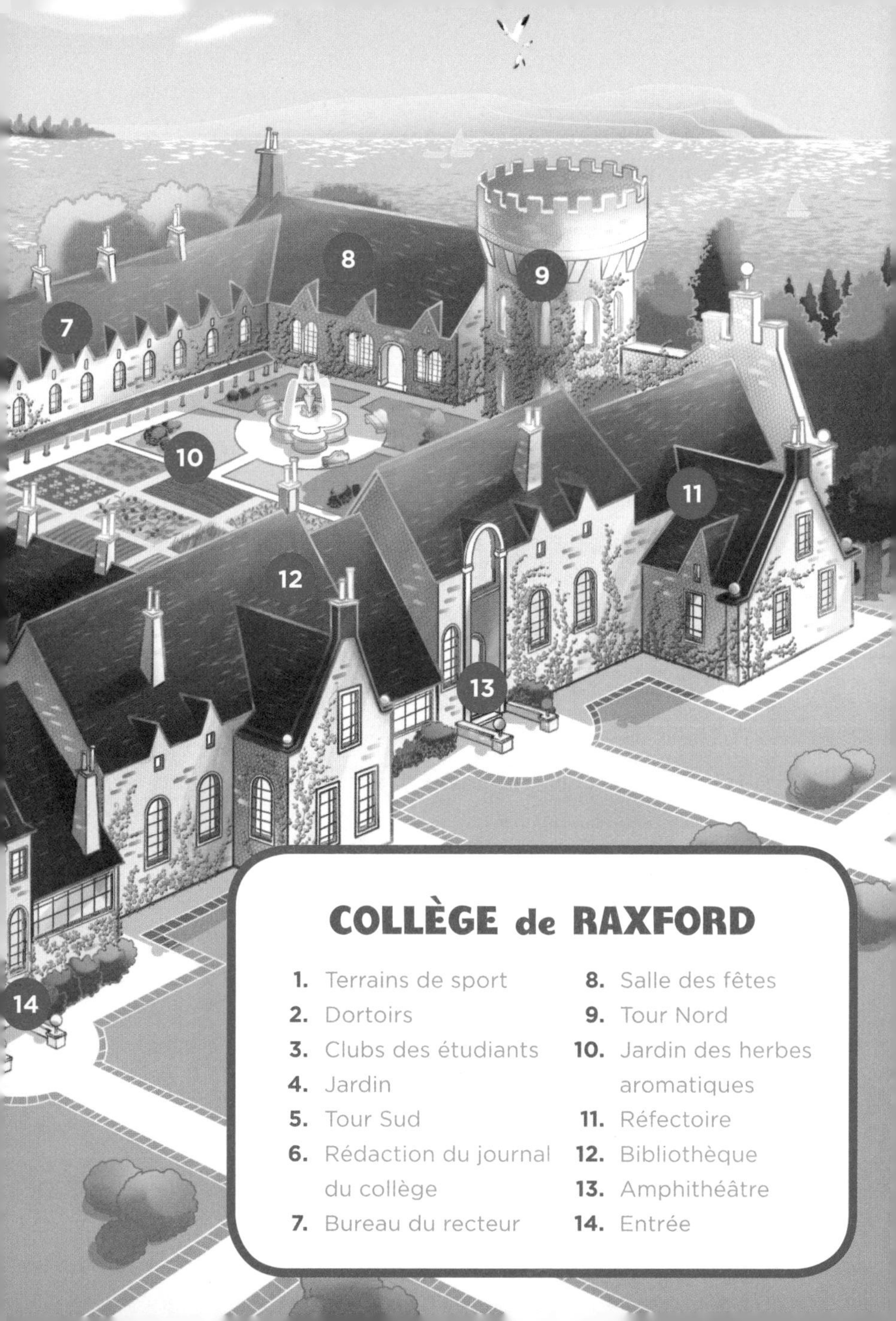
8
9
7
10
11
12
13
14
COLLÈGE de RAXFORD
1. Terrains de sport
2. Dortoirs
3. Clubs des étudiants
4. Jardin
5. Tour Sud
6. Rédaction du journal du collège
7. Bureau du recteur
8. Salle des fêtes
9. Tour Nord
10. Jardin des herbes aromatiques
11. Réfectoire
12. Bibliothèque
13. Amphithéâtre
14. Entrée

# Au revoir, à la prochaine aventure !